KB103282

설익은 살구 한입
베어 물었더니

설익은 살구 한입 베어 물었더니

발　행 | 2024년 7월 23일
저　자 | 고민지
펴낸이 | 한건희
펴낸곳 | 주식회사 부크크
출판사등록 | 2014.07.15.(제2014-16호)
주　소 | 서울특별시 금천구 가산디지털1로 119 SK트윈타워 A동 305호
전　화 | 1670-8316
이메일 | info@bookk.co.kr

ISBN | 979-11-410-9607-6

www.bookk.co.kr

설익은 살구 한입 베어 물었더니

고민지 지음

제 1부 여름 공백

제 2 부 모든 청춘에게

비어버린 공백에

나의 여름을 끼워 넣는다.

잘 가 여름아.

제1부 여름 공백

여름 조각

초여름의 한낮 여울
지면 위로 피어나는 여름의 파도
그 여름의 파도를 밟고 숨이 차게 뛰었던
조금은 바랜 우리의 여름 조각

볼 위로 피어난 빨간 백일홍에
뛰어서일까 함께여서 일까
꽉 잡은 두 손을 차마 먼저 놓지 못하고
알 수 없는 사랑 고백이 함께였던 그 해 여름.
나는 그때의 그 여름을 기억한다.

새벽 4시

유월 오일
여름
새벽 4시의 향
작은 조명에 기대어 연필을 끄적이는 그런 새벽
아직 세상에겐 나의 존재가 드러나지 않은
모두가 깊이 잠든 그런 여름의 새벽 4시

그런 여름밤에
머릴 질끈 묶고
짐을 챙겨
어디든 멀리 도망가고 싶어
아직 나의 존재가 드러나지 않은 그런 시간을 빌려
아무도 나를 찾지 않는
아무도 나를 모르는 그곳에서
내 새벽 4시가 시작되었으면 좋겠어.

여름 반복

여름의 열망
여름이 내쉬는 숨
여름이 말하는 옹알이는
여름이 기어코 우리 코앞에 왔다는 증거

초여름의 색깔은 여전히 푸른색이구나
초여름의 하늘은 여전히 맑구나
반기지 않는 여름을 무시해도
여름은 여전히 그대로의 모습으로 나를 찾아오는구나.

여름은 무뎌지고

목에 여름이 박혔다.
까슬까슬한 여름 바다의 모래가 내 목울대를 치고
지나가는 느낌이었다.

그렇게 아팠던 여름이 어찌어찌 지나가면
난 또 그 여름을 찾았다.

아픔에 익숙해진 걸까.
아니면 나는 그 아픔을 평생 받아야 하는
사람인 걸까.

어쩌면 나는 평생 행복할 수 없나 보다
그렇게 아픔에 입 맞추고 껴안고 있으니.

여름 바다의 안녕

당신이 머물다간 여름
그 여름을 떠나보내요.

당신이 그 바닷가에 남겨놓았던 큼지막한 발자국을
조곤조곤하게 밟으며 뒤따라가요.
그날따라 식혀놨던 커피는 너무 뜨거웠고
입안에 굴러가는 사탕들은 너무 써서
뱉어버려야 했어요.
저 시퍼런 바다를 목전에 둔 당신을
떠나보내야 해서 그랬을까요.

이 말을 하기까지 참 많은 시간이 걸렸네요.
이제 추운 여름 바다가 아닌
따뜻한 겨울 바다가 되어버렸으니.

너는 그 여름을 모른다.

너는 여름을 모른다.
너는 그 역겨운 여름을 모른다.
열게 지워지는 여름의 향기
비탄하는 여름 바다
여름을 지니고 있는 모든 것들
자신은 마치 모든 여름을 안다는 듯 자만하던
그림자
쓸쓸한 바람만을 남기고 떠난 사람아
찬란한 여름이라고 했던가.
나에겐 역겨운 여름일 뿐인데.
나에겐 아픈 여름일 뿐인데.

그래
너는 여름을 모른다.
너는 그 역겨운 여름을 모른다.

여름 내음

흩날리는 머릿결에
여름 내음이 쏟아진다.
정적이 당연한 계절
여름의 소리가 더 선명히 들린다.

투명한 종소리가
아직 서툰 매미 소리가
여름의 조각을 채운다.

내가 기다려온 계절
정적과 매미 소리의 비례의 계절
여름의 시작이었다.

설익은 살구 한입 베어 물었더니

설익은 살구 한입을 베어 물었더니
떫은맛이 났다.
어째 떫은맛이 날걸 알면서도 베어 물은 살구는
풋내 향이 나는 사랑을 베어 물은 것만 같았다.
탐스러웠고
베어물고 싶었고
욕심이 났다.
하지만 막상 베어 물고 나니
떫은맛과
스치듯이 지나가는 약간의 단맛이
이윽고 나를 혼란스럽게 만들었다.
설익은 살구
설익은 사랑
설익은 감정
모든 게 다 미숙하고 그렇게 달큼하진 않지만
한 번 베어 물고 나니
나는 더 이상 단맛만이 나는 그런 사랑을 찾을 수
없었다.

그저 모든 걸 사랑해버린 계절

그저 여름은
사랑하지 않으려던 모든 걸 사랑해버린 계절일 뿐
여름이 지나가면 별게 아닌 게 된다.

그러니 사라짐에 익숙해지고
이별에 능숙해지길.

원숭이도 나무에서 떨어진다.

추락하는 여름
미친 여름

후덥지근한 공기 속에서 난 아무것도 하지 못하고
그저 손톱만 까무룩

내가 너였으면 조금 나았을까.
이런 내 삶이 조금은 덜 퍽퍽하고
조금 더 생기 있어졌을까.

매미가 울던 날 밤, 매일 하던 고뇌를
누군가에겐 절대 보일 수 없는 마음을

이제야 간신히 나아졌는데,
너는 왜 이 미친 여름과 함께 추락하고 있어?

청춘 실종

발가락 사이사이에 물러 터지게 나오는
그런 여름 바다의 모래
빛 바래지는 청춘이
나를 덧없는 사람으로 만들어 버린다.

괜히 쓸데없는 사랑을 해서
괜히 남에게 이런저런 정을 줘서
청춘이 시꺼멓게 바랬다.

덧없는 사랑을 하고
덧없는 웃음을 지어
청춘이란 덫에 걸렸다.

청춘이란 이름 뒤에 숨어
내 이름을 만들어 가곤 했는데
이젠 그럴 청춘도 남아있지 않으니
이토록 비참할 리가 있겠나.

내 사랑은

내 마음은 백지에요
사랑의 색들이 다 빠져나가서
이제 당신에게 줄 수 있는 색이라곤
백색밖에 없네요.

그럼에도 저는 당신을 사랑해서
내 색이 백색이어도
다른 사랑의 색 들하고 섞이면
혹여 예쁜 색깔이 될 수 있을까.
남아있는 백색조차 주고 싶어져요.

정작 내가 텅 빈 색깔이 되어버린다 해도
나는 괜찮아요.

빈칸

빈칸을 채워주세요.
늘 저를 따라다니는 문장의 빈칸을
꽉꽉 예쁜 말로 채워주세요.

그럼 그 공허감도
그 서러움도
모두 날려버릴 수 있을 거 같아요.

고해의 끝맺음은

바다로 갈까.
그래 그 바다로 가자.

차가워도
조금 시려도
견딜 수 있지?
우린 그 바다에서 시작했잖아.
그러니 그 끝맺음도 바다여야 해.

파도치는 소리가 서러워져도
갑자기 오는 바람이 너무 거칠어도
참고 견디자.

그리고 우리...
그 수평선 너머에 바다의 고해를 듣자.
그때처럼 서서히 그리고 천천히
얼굴로 오는 파도를 느끼면서.

나의 언어로

들숨에 사랑을 떠올리고
날숨에 내뱉는다.

내가 내뱉는 사랑이
그대가 받는 사랑이
건더기 없이
순수하고 깨끗한 그런 사랑이길 바라서
속에 있는 사랑을
거르고 걸러 나온 그런 사랑

너는 알까?
내 작은 행동 하나도

'사랑해'
라는 말 하나까지도
내뱉기까지 수많은 고심 끝에
내 마음 하나 보여준 거란 걸

앞으로 어떤 진심이 나오고
어떤 고심을 할진 모르겠지만

내 사랑해는
여전히 나의 언어로
서툴고 더뎌도
사랑해야.

편지 1.

노란 새벽
아직 동이 트기 전 그 시간
이 편지가 너에게 갈까 아직도 잘 모르겠어.

태워볼까,
곱게 곱게 접어 하늘에 날려 볼까.
무엇 하나도 제대로 보내지지 않는 편지를
손목이 시큰하게 쓰고 있는 것도 웃겨서
연필만 쥐었다 놓았다 하다 하루가 다 갔어.

그래도 혹시 나를 이 새벽에 찾아올까.
퉁퉁 불은 손으로 편지를 주워 담고 있진 않을까.
우리 집 앞 빨간 표지판도 바꾸지 않고
늘 땅에 떨어진 편지는 줍지도 않아.

그렇게 하고 나면
혹시 내 사랑을 잊었을까.
혼자인 시간이 되면 불안해져
늘 편지에 사랑을 담아 보내.

허공에 담는 사랑이지만
기다림의 모순이 담겨 있는 사랑이지만
매일 마지막 편지라 다짐하지만

결국 내 사랑이 벅차도록 커서
그렇게 늘 너를 기다려.

그 아이의 몸짓은

그 애 몸짓은 추억을 묘사해요.
그 애가 움직일 때마다
사랑했던 추억 한 움큼씩.
자신보다 두 배는 더 큰 움직임을 할 때면
쓰나미처럼 몰려오는
이별의 추억이 한 움큼씩.

그 애는 잘 움직이지도 않던 애였지만
큼지막한 움직임을 할 때면
늘 눈물이 나와요.

나를 잊지 말라고
나를 떠나지 말라고
꼭 소리치는 것만 같아서.

다섯 번째 계절

네가 좋아하던 다섯 번째 계절.
나는 찾을 수도 볼 수도 없는
그런 공허함을 담은 계절.

나는 너를 닮아서
공허함을 담은 계절을
하염없이 갈망하곤 한다.

얇은 여름

사랑의 형체를 알 수 없을 만큼 섞고 부패되어
한껏 짓눌리고 뭉개진 사랑을
사랑이라 말할 수 있을까.

얇은 여름
뜨거운 온도
영원한 계절을 꿈꾸던 너.

이번엔 너는 어떤 형태로 나를 찾아올까.
그리고선 어떤 역겨운 사랑의 형상을 햇빛에 비추어 볼까.

그런 네가 싫어
네가 좋아하는 영원한 계절인 여름이 싫어
살갗을 파고드는 날카로운 계절인 겨울 끝으로 도망가 보아도
결국 돌고 돌아 다시 여름으로 돌아와
네가 들고 온 사랑의 형상을 맛보아 보면
막상 차갑지도 아프지도 날카롭지도 않은
사랑의 단내가 풍기고 핑크색 형상을 지닌
다정한 사랑의 맛이 나는

그런 모순을 지니고 태어난 역겨운 핑크색 사랑이었음
을
그리고 나는 또 한 번 그 사랑의 형상을 끌어안아
버렸음을.

조금 느리더라도.

조금 느리고 더뎌도 사랑하는 법을 알아.
조금 느리고 더뎌도 살아가는 법을 알아.
그렇게 하루를 알아가고
하루를 살아가고
사랑하다가
입 근처에 머물던
오래된 그리고 낡은 말들을
삶의 단편들을 말미암아 느릿하게 내뱉지 않을까.

사랑하는 사람아,

안녕, 사랑아
안녕, 사랑하는 사람아,
모든 계절의 밤들이 따뜻하며
네가 맞이하는 모든 처음이 평안하길 빌어본다.
이 부름이 과연 너에게 닿지 않더라도
별을 세며 겨울 바다를 그리고 있을 너에게
모든 말들을 태워 보내며
만져지지도 않는 재를 움켜쥔다.

안녕, 사랑아
안녕, 사랑하는 사람아,
이렇게 또 목놓아 불러본다.
첫 머리를 또 이렇게 놓고선 목놓아 불러본다.

편지 2.

당신의 봄은 안녕하신가요?
별것 없는 안부를 물어봅니다.

이번에도 그저 당신의 삶의 여백으로만 쓰이는
나의 편지들 속 저의 봄을 끼워 보내봅니다.
우리의 사랑의 끝은
당신의 봄
우리의 봄
나의 겨울이었으며
이 문학 작품에 채워지는 글자들뿐입니다.

바다의 불멸

너는 바다를 닮아서
그래서 곧장 사라질 것만 같아서
큰 파도에 금방이라도 휩쓸려
사랑만 이 퍽퍽한 모래사장 위에 올려두고
사라질 것만 같아서

내가 그 바다로 뛰어들어갔다.

바람 바다 이야기

바람은 바다를 사랑했다.

바다야 바다야
나는 너의 우울함까지도 사랑할 수 있어.
그러니 부디 나를 사랑해 줘.

바다는 바람을 향해 말했다.

넌 나의 우울이잖아.
난 너를 사랑할 수 없어.
나 내가 정말로 행복하길 바라거든.

아무래도 바람은 바다의 행복을 바라니
그저 스쳐 지나가야만 해야겠지.

후덥지근한 여름 속

원래는 봄에 죽으려 하였으나
길가에 핀 꽃이 예뻐 죽지 못하였고,

그 해 여름에 죽으려 하였으나
푹푹 찌는 여름은 그저 내가 싫어하는 계절이란
이유로 죽음을 미뤘고,

가을은 올해 단풍이 예뻐서

겨울은 다가오는 새봄이 괜히 간질거려

그렇게 한 계절식 죽음을 미루다 미루다
마침내 죽으려 들었던 그날.
그날은 아직 여름이 채 가지 않았던 날.
난 또 죽음을 미룰 수밖에 없었다.

내 불안은 아직 아기라서

우리 모든 불안을 사랑하자.
불안이 목 끝까지 차올라서 넘실거려도
그 불안을 껴안아주자.
아이 달래듯
토닥이고 다정을 말해주자.

나비의 고해

아아 하느님
쓰러져도 다시 일어날 수 있는 단단한 마음 같은 건
이미 제게 없었어요.
잘 지내냐는 말은 하지 말아요.
이미 제 불행을 보고 계셨잖아요
폐에 듬성듬성 들어오는 숨들이 가끔은 너무
벅찹니다.

나비, 나비가 되고 싶었어요.
커다란 하늘이 제 것 마냥 자유로이 날아다니고
그 노을이 내 거 마냥 보잘것없는 제가
다 가진 남들한테
그 노을을 크게 자랑할 수 있었을 텐데.
여름밤이 참 아프게
그리고 너무나 짧게 지나가네요.

마침표

늘 파란 하늘만 쫓던 너였다.
내가 보이든 말든 동경하던 하늘을 쫓았다.

네가 양쪽 두 귀를 막고 있어도
나는 어떻게든 그 귀 한쪽을 열어 사랑을 속삭였는데
반쪽짜리 사랑이어도 좋다고 웃어넘겼는데

그렇게 두 귀 두 눈을 막고 하늘로 비상하면
나는 어떡해?
그럼 나는 이제 반쪽짜리 사랑도 못하는 거야?
너한테 완전하지도 않았던 반쪽짜리 사랑조차도
주지 못하는 거야?

다음번엔 꼭

푸른 바다 같다고
그 파란 이온 음료를 좋아했던 너.

추운 겨울에도 꼭 차가운 얼음을 동동 띄운
아메리카노를 좋아했던 너.

차갑고 푸른
외롭고 공허한
그런 단어들이 잘 어울렸던 너.

다음번엔 꼭 따뜻하고
꽉 채워진 사람으로 나에게 와.

그럼 나도 아무 말 안 하고 너를 꼭 안아줄게.

너는

너는
잘 갖추어진 단정한 교복을 입고
단정한 하루를 만들어 가다
유난히 차가운 불어 터진 손을 어루만져.

담배는 피우지 않지만
항상 담배 향이 나는 그런
머리칼을 움켜쥐어.

버스 정류장 앞에서 한 번
소리 없이 터지는 비눗방울 앞에서 한 번
둥근 신발 앞코를 툭툭 치곤
입꼬리를 한껏 끌어올려 웃음을 지어보지.
그리고선 한 손으로 태양을 끌어안아보곤 해.

이 세상의 단조로운 것들을 동경하던 삶.
어리숙한 하루를 끌어안고 잠을 청하던 날

네가 소망하던 단정한 어른
네가 소망하던 단조로운 삶
너의 보잘것없던 매일의 소망

나는 그런 네가 안쓰러워
꽃이 지기 전
겨울이 다가오기 전
매시간마다 네가 그리는 찬란하고 단정한 꿈들이,
혼자 끌어안고 소멸된 이루지 못한 너의 청춘이
안쓰러워져
나는 점점 너의 형태가 되어가고
널 더 잊지 못하게 되는 계절을 지내고 있어.

여름 오후 3시

네가 죽은 그 여름을 좋아해.
네가 죽은 그 후덥지근한 여름날의 오후를 사랑해.

심장이 두근거려 터져 나올 것만 같았던
그런 감정을 느낀 그 해 여름을.

발이 터지고 긁혀 나가도록 뛰었던
그래서 땀이 송골송골 맺히던
그 여름날의 오후 3시를.

내가 정말 사랑하는 거 같아 보여?

독백, 여름 노을, 사랑, 기억

가끔 안일한 생각을 하곤 한다.
삶에서 지독하게 도망치고 싶을 때
패이고 치여 엉망진창이 되어버린
내 삶을 바라볼 때.

나의 독백에 괜히 말을 얹기 싫다던.
내가 할 수 있는 건
그저 옆에 나란히 앉아 저물어 가는 여름 노을을
함께 봐주는 것이
내가 할 수 있는 위로의 최선이었다며 말해주던
천천히 잔잔하게 지던 그날 여름은 빛바랜 기억.

인간은 무언가를 사랑했던 기억을 잡고 꾸역꾸역
살아간다는 말이 맞나 봐.
내가 아직까지 그 기억을 잡고
꾸역꾸역 살아가고 있는 걸 보면.

이별의 형식

당신의 그 눈동자는 깊이를 알 수 없을 만큼 깊어요
그래서 그 눈동자의 깊이를 알 수 없어서 두려워요.

또 그 깊은 눈동자에 어떤 눈물이 맺힐까.
그 깊은 눈동자에 어떤 고해가 들어있을까.
그리고선 어떤 형식의 이별을 말할까.
두렵습니다.

돌아오지 못할 계절

나의 위태로움까지 사랑해?
나의 불안함까지 사랑해?
끝없는 질문을 던졌다.

아무런 답이 돌아오지 않았다.

그럼 그 벚꽃이 땅에 닿기 전까지만
나를 사랑해 줘.

그럼 나 그때까지 행복할게.
마지막 대답이었다.

영원

이 세상엔 영원한 건 없다 하지만
때로는 마치 이 모든 게 영원할 것만 같은 착각을
하곤 한다.

그런 생각을 하면
그 영원이 깨진다는 비극도 모른 채로
그렇게 늘 영원을 꿈꾼다.

이 세상이 핑크빛 노을로 물들여질 때,
길을 가다 문득 보이는 민들레 홀씨가 보일 때,
가끔 모든 게 행복해 웃으며 집에 갈 때,
그땐 모든 게 영원할 줄 알았다.

핑크빛 노을이 단 3초 만에 없어지고
그 민들레 홀씨가 거센 바람에 날아가 버리고
가끔 모든 게 원망스러워 울면서 집에 갈 때면

영원 따윈 없었다며
그제야 형태도 없는 후회를 하곤 한다.

멍청한 희망

허황된 것들을 사랑하는 버릇이 있다.
허황된 꿈을 가지고
허황된 사랑을 해서 그런가.

모순이 된 것에 입 맞추고
영락없는 것에 맞춰 춤을 춘다.

이런 것들을 여전히 좋아하는 나를 보니
나는 아직도 불완전한 인간인가 보다.

늦은 새벽

무엇 하나 잘 해내지 못하는 내가 역겨워져
늦은 새벽
연필 하날 꺼내들었다.

물러터진 마음이
괜찮은 줄 알았던 마음의 우울은 차곡차곡 쌓여
결국 넘쳐흐르는 지도 모르고
거울에 비친 내 모습만을 보고 있었다.

질식의 향

숨을 금방이라도 멈출 것처럼
내 연약한 숨을 내가 내 손으로 끊을 것처럼
깊은숨을 내쉬고
뱉지 않는다.

질식의 향기
짙게 멈추는 시간
가슴속을 후비며 들어오지만
내 마음속을 움직이는 알량한 희망이
오늘도 내 작은 곳을 건드려
결국은 내 연약한 숨을 헐떡이게 만든다.
아아, 오늘도 실패다.

미련한 꿈

서슬 퍼런 사랑을 할까.
내 마음이 다 비치는 사랑을 할까.

나의 감정은
나의 사랑은
너무나 연약하고 투명해서
홀씨처럼 후 불면 널리 날아가다가
목적지를 찾지 못하고
결국 조용한 연못에 가라앉아
형태가 사라지는 그런 사랑이야.

파도의 몸을 맡기고

몸에 힘이 빠진다.
더 이상 발버둥 칠 곳도,
힘도 남아 있지 않은 듯했다.
바다를 유영하고
유유히 떠나가던 그의 뒷모습이 그리워졌다.
나는 그만큼 바다를 유유히 유영하지 못한다.
그 바다를 순순히 받아들이지 못한다.
그저 빠지지 않게 고개만을 더더 치켜들을 뿐이다.

몸에 힘이 더 빠졌다.
나의 겉모습은 점점 가라앉고 있었지만
이상하게 몸이 둥실 떠오르는 느낌이었다.
아, 받아들이면 편했다.
이 바다도, 우울도.

제2장 모든 청춘에게

빌린 사랑의 말

꽃의 말을 빌려
바람의 말을 빌려
파도의 말을 빌려
사랑을 전한다.

아마도 사람보다는
사랑을
너를 닮은 것보다는
너를 담을 것들을
너는 선택하겠지.

그래도 기어이 내 사랑을 말할 수 있는 날이 오면
나의 언어로 세상에서 제일 예쁜 말들을 포장해
너에게 전달하고 싶다.

그렇게 살아가는 것

봄이 되면 꽃 몇 송이 따다 머리맡에 놓아 보고
여름이 되면 쨍한 햇살 두 손 가득 넣어도 보고
또 가을이 되면 가을바람에 흩날리는 머리칼을
정리하다가
돌고 돌아 겨울이 되면 소복이 쌓이는 눈을 그저
멍하니 바라보는 용기.

사람의 인생은 탄생과 이별을 번복하며
모든 것들의 모순 투성이지만
한 계절이 채 다 지나가기 전에
그 계절을 사랑해 가다 보면
모든 불확실한 것들을 사랑할 수 있는 용기가 생겨
더욱 단단해지는 삶.

그렇게 살아가는 것
그렇게 이 세상이 모든 불확실한 것들을
사랑해 가는 것
내 생애를 사랑할 수 있는 방법.

청춘

푸를 청
봄 춘

그대의 청춘은 늘 푸르른 하늘이 되고
푸른 바다가 되리니

나의 청춘은 쓸리고
무너져가는 청춘이어도

그대의 청춘에는 늘 한자어로
푸를 청에 봄 춘을 쓰는 그런 푸른 봄날이길

너의 푸르를 청춘을 누군가가 염원하고 있으니

다음생엔

그래 다음 생엔 너로 태어나 나를 사랑해 보고 싶다.
얼마나 대단한 사랑을 했길래
심장이며 쓸개며 다 주고 싶었는지
내가 죽으면 자기도 죽겠다는 그런 철없는 말을
어떻게 그렇게 서스럼 없이 했는지.

나는 그만큼 나를 사랑하지 못해
그래서 다음 생엔 너로 태어나 나를 사랑해 보며
사랑한다고 얘기해 보고 싶다.
너의 그 다정한 입에서 나오는 다정한 말들처럼.

오후 3시의 약속

우리 오후 3시에 만나요.
햇볕이 잘 드는 카페 자리를 골라
아메리카노 대신
달달한 아이스티를 먹고
한적한 근처 공원을 산책하고
선선히 부는 바람을 느꼈다
한없이 예쁘게 지는 노을을 보면서
사진에 서로를 담고
실없는 농담만 실실

그렇게 하루가 저물면
근처 슈퍼에 가서
아이스크림 하나 물고 나와
오늘따라 유난히 밝은 보름달을
각자의 눈에 담아요.

그렇게 오늘을
내일을
모레를
하루하루를 지켜나갈까요 우리.

내일은 우리 어떤 곳을 갈까
어떤 맛있는 걸 먹을까
그런 고민만 하면서
기대감이 가득 찬
그런 눈을 하고
잠들어요 우리.

여름 단순

갑자기 긴 단잠에 들고 싶다.
적당한 햇살에 몸 담그고
창문을 열어놔 들어오는 선선한 바람과
적당한 날씨들을 베개 삼고 이불 삼아
내려오는 머리칼을 쓸어넘기며
그런 단순한 것들과 함께.

어린아이에게

작고 여린 아이야
작은 숨을 내뱉어도 돼.
네가 참고 있는 숨을
큰 소리를 내며 내뱉어도 돼.

가녀린 너의 어깨가
옅게 떨릴 때면
안쓰러워 괜히 뒤를 돌곤 한단다.

너의 마음은 투명해서
괜한 불투명한 것들에 곧잘 상처를 받곤 하지.
그런 날들이면
네가 헐떡이며 울고 오는 날이면
내 숨을 나눠주며
괜찮다 일러주고 싶어.

한 땀의 숨

네가 내쉬는 한 땀의 숨을 깊이 따라 쉬어본다.
꿈속에서 그대가 내쉬는 숨을
어린아이가 첫 숨을 쉬듯
부드럽고
단조롭게
그리고 편안히
그대의 마지막 숨을 함께 맞추어 본다.

소리 없는 눈물

긴 밤을 건넌 아이는
소리 없는 여린 눈물을 지니고 있다.
한때는 찬란한 꿈과
때묻지 않은 하얀 마음을 지니고 있었던
그 아이의 진심들은
결국 아이의 가장 큰 약점이 되어 칼을 꽂고
비틀거리는 하루를 보낸지 꽤 지났을 때
그 아이는 비로소 알게 되었다.
소리 없는 눈물을 흘리는 법을

사랑해?

넌 사랑을 아니?
어느 한 노인이 물었다.
난 아무 대답도 하지 못했다.
글쎄
뭐라 답했어야 맞는 답일까.
목이 매이도록 불렀던 너의 이름일까.
마지막 눈을 맞추던 너의 모습일까.

어떤 사랑이었는지 몰라
사랑이었는지도 몰라
근데
사랑이란 말에 네가 생각나면
난 너를 사랑하고 있었을까?

성장통

불안정한 미래에 너의 청춘을 건다는 것
그 불안정한 미래가 너를 밀치고 다치게 하더라도
한숨을 쉬고 바닥을 기더라도
그 한숨이 나중에는 큰 바람이 되어
네가 가는 길을 알려주고
네가 기는 바닥이
나중에는 너의 단단한 지탱목이 되어
너를 받혀줄 거야.

그러니 잊지 마.
언젠가는 만개할 너의 성장통이야.

모든 청춘에게

낮은 곳에서의 비상
덧없이 흘러가는 시간에 당신이 건 마지막 도약

서투른 몸짓
빛나는 눈동자
그 무엇 하나하나 빠짐없이 아름답지 아니하던

그대가 곧 이룰 마지막 결실을 위한 디딤의 단계
난 그 위대한 힘을 믿는다.

어른

어른이 될게
반듯한 어른이 될게.

너와의 이별에도 울지 않고
너의 싸구려 위로에 상처받지 않는
세상에 적당한 선이 있는
그런 어른이 되어볼게.

바다의 열병

바다의 맥박은
공백의 시간이 꽤 길다.
쿵 한번
쿵쿵 두 번
물밀 듯이 왔다가
숨 쉬듯 휩쓸려 간다.

사랑인가?
사랑인가 보다.

이제 바다의 맥박은
공백의 시간이 길지 않다
쿵쿵쿵
시도 때도 없이 철썩 거린다.
사랑이 시작되었다.
바다의 요란하고 잔잔한 열병 같은 사랑이.

마지막 편지

부디 행복하라는 말은 하지 않아요.
부디 건강히 잘 지내라는 말도 하고 싶지 않아요.

말 한마디 한마디가 당신에게 부담이 될까.
말 한마디 한마디가 나도 모르는 새 상처가 될까.

당신의 삶의 깊이를 알 수 없어서
꽤나 긴 말을 주절 거릴 수 조차 없지만

만약 이 글이 수많은 책들 속에서 발견된다면

그저 그냥 많이 그리고 오래 아프지 않았으면
좋겠습니다.

작가의 말

안녕하세요.
작가 고민지입니다.
이 책은 저의 여름의 공백을 담은 시집 입니다.
지나가는 여름을 붙잡지도 못하고 흩날리는 여름 내음
만 맡고 있자니 문득 아쉬워져 한 편 한 편 여름의
공백을 이 시로 채우고 저의 여름을 보내주려 엮은
시집이니 독자 여러분들도 저의 여름 공백을 같이
느껴주시고 함께 긴 여름을 추억하고 느끼실 수
있었으면 좋겠습니다.
아직은 서툰 글 솜씨로 끄적끄적 몇 자 적었지만
저에게는 정말 좋은 경험이었던 것 같습니다.
또 하나의 새로운 여름의 추억이 생겼네요.
저의 추억을 함께해 주신 이 책을 읽고 계신 모든
독자 여러분들 모두에게 감사 인사를 전합니다.
끝으로 저에게 많은 영감의 도움을 준 모든 지인분들
에게도 감사드립니다.
이제 이 책을 끝맺으며 여름을 보내주려 합니다.
긴 글 읽어주셔서 감사합니다.